Hémorroïdes

**Absence de douleurs et de symptômes
en quatre semaines seulement**

MARCO ALEXANDER

Hémorroïdes

Absence de douleurs et de symptômes en quatre semaines seulement

MARCO ALEXANDER

Première édition 2021
© 2021 par MCM Publishing GmbH
info@mcm-publishing.de
Hangweg 24
97616 Bad Neustadt, Allemagne

Édition :
BoD – Books on Demand, 12/14 rond-point des Champs-Élysées, 75008 Paris
Impression : BoD - Books on Demand, Norderstedt, Allemagne

ISBN Imprimé : 9782322378302

Dépôt légal : Juillet 2021

Texte :   Marco Alexander Schmitt
Conception de la couverture :   Angela Bungert
Correction d'épreuves :   Holly O'Rilley
Photos :   Lara Ebert et Christian Remchen
Traduction en Français :   Emmanuelle Mante

CONTENU

Introduction *9*

Les symptômes et leur traitement *13*

L'histoire de Victor *19*

Fascias et tissu conjonctif *25*

Supports anatomiques de l'humain *33*

Le programme de quatre semaines *51*

    Semaine 1 54

    Semaine 2 56

    Semaines 3 et 4 57

Motivation et conseils *59*

    La première semaine 60

    Affirmations et programmation 62

    Programmation pour les enfants 65

    Douleurs le matin 67

    Marcher pieds nus sur différentes surfaces 69

    Chaussures minimalistes 71

    Semelles intérieures ou orthopédiques 72

    Marcher sur la pointe des pieds passe inaperçu 74

    Chaussures pour circonstances spéciales 76

    Jogging et marche nordique 77

Grossesse..80

Position naturelle pour aller à la selle....................................83

Maigrir facilite la marche sur la pointe des pieds 86

Maintenir la connexion à la Terre ou "Earthing" 88

Évitez de solliciter le plancher pelvien..................................90

Autres améliorations physiques.....................................**93**

Ce qui se passe ensuite..**97**

Postface de l'auteur..**101**

L'auteur..**103**

Autres publications 105

Les artistes...**107**

Bibliographie...**109**

INTRODUCTION

Personne n'aime aborder le sujet des hémorroïdes. Rien que l'orthographe est très compliquée. Ceux qui ne sont pas eux-mêmes affectés savent rarement que cela peut causer des problèmes. Pour les personnes touchées, en revanche, les symptômes sont omniprésents, mais on en parle encore rarement. La gêne occasionnée par le fait que vous puissiez avoir des problèmes avec votre arrière-train est assez importante pour beaucoup de gens.

Ce livre s'adresse aux personnes qui souhaitent vaincre leurs symptômes à long terme. C'est la raison pour laquelle il n'apporte un éclairage que sommaire sur les symptômes, car les personnes qui en souffrent les connaissent déjà trop bien, de par leur propre expérience. En position assise, en marchant, pendant les loisirs, pendant les selles et après. Ces symptômes sont largement discutés et analysés dans de nombreux ouvrages. Ce livre a pour but d'être différent. En effet, il porte principalement sur les causes, car celles-ci sont peu connues et méritent certainement d'être examinées de plus près.

Environ 10 à 20 % des personnes vivant dans les pays industrialisés du monde occidental souffrent d'hémorroïdes à un degré plus ou moins important. En 2011, les résultats d'une étude portant sur 976 participants ont été publiés en Autriche. Environ 17% d'entre eux se sont plaints d'hémorroïdes symptomatiques. Ce grand nombre de personnes atteintes suggère que les hémorroïdes sont une maladie courante. Dans les pays asiatiques, ces problèmes sont plutôt rares. Les causes sont donc liées au mode de vie des populations des pays industrialisés.

Dans ce livre, les causes de cette symptomatologie sont mises en évidence et les personnes concernées sont informées de ce qu'elles doivent changer afin de réduire durablement leurs symptômes et leurs douleurs, voire de les éliminer définitivement.

L'origine des symptômes a une source principale et une source secondaire, il suffit donc d'éliminer systématiquement et durablement la cause principale des symptômes pour que la cause mineure soit neutralisée.

Pour ce faire, l'auteur emmène les personnes intéressées dans un monde imaginaire et présente ainsi les causes de manière très vivante.

Ensuite, il explique comment on peut éliminer les causes par soi-même dans le but d'atteindre, en l'espace de quatre semaines seulement, une nette amelioration de la symptomatologie.

Les personnes affectées ont la possibilité de décider si elles veulent continuer à souffrir ou non.

En changeant ses habitudes, la cause peut être éliminée en quelques jours. Cependant, c'est un changement qui doit durer sur le long terme, il doit être maintenu à vie, sinon les hémorroïdes risqueraient de revenir à nouveau de manière douloureuse.

LES SYMPTÔMES ET LEUR TRAITEMENT

Il existe d'innombrables livres sur les hémorroïdes, dans lesquels les symptômes sont décrits en détail. On y explique également comment les traiter et les soulager. Le présent ouvrage traite principalement des causes. Dans un souci d'exhaustivité, les symptômes et leur traitement ne seront décrits que brièvement.

Les symptômes des hémorroïdes sont répartis selon les quatre degrés de gravité suivants :

Degré 1 : Protubérance des hémorroïdes au-dessus du canal anal.

Degré 2 : Extériorisation des hémorroïdes.

Degré 3 : Sortie des hémorroïdes à l'effort / Nécessité de les réintégrer dans le canal anal.

Degré 4 : Protrusion des Hémorroïdes hors du canal anal. (Prolapsus des hémorroïdes)

Le degré 4 est associé à une douleur, des démangeaisons et des saignements sévères et peut s'avérer très désagréable pour les personnes concernées.

Pour le traitement et le soulagement des symptômes (et non des causes !), il existe toute une série de possibilités. Dans ce cas, par exemple, on utilise des médicaments sous forme d'injections et de pommades à base de cortisone, qui ont parfois des effets secondaires assez importants et peuvent avoir un impact négatif sur le système immunitaire. En outre, des pommades à base de zinc ou des crèmes ou suppositoires anti-inflammatoires sont également utilisés.

Les symptômes de démangeaisons et de douleurs peuvent être soulagés par une anesthésie locale, par exemple à l'aide de suppositoires.

Les hémorroïdes de degré 3 et 4 sont souvent sclérosées en ambulatoire. Cela peut se faire par irradiation avec des rayons infrarouge. Les résultats ne sont souvent pas très satisfaisants. La sclérothérapie par ligature d'élastique, c'est-à-dire l'aspiration d'hémorroïdes individuelles qui sont ensuite attachées avec des élastiques, est plus efficace. En coupant l'apport sanguin, l'excès de tissu meurt. Des saignements occasionnels sont possibles.

Les personnes souffrant d'hémorroïdes de degré 4 peuvent également subir une ablation chirurgicale, qui consiste à couper les hémorroïdes à l'aide d'un scalpel et à suturer tout ou partie des plaies ouvertes. Cette méthode est plus durable, mais plus douloureuse, et la cicatrisation peut être longue. Néanmoins, il peut arriver que les symptômes, les hémorroïdes, reviennent quelques années après.

Ces dernières années, la méthode de l'hémorroïdopexie par agrafage est devenue de plus en plus populaire. Elle est moins douloureuse et la cicatrisation est plus facile que la méthode décrite précédemment. Mais en contrepartie, les hémorroïdes peuvent revenir plus vite.

La médecine conventionnelle mentionne toute une série de causes possibles pour les hémorroïdes douloureuses. Forte pression pendant les selles, constipation chronique, port de charges lourdes, diarrhées fréquentes, grossesse, problèmes psychologiques, stress, faiblesse congénitale des vaisseaux sanguins ou du tissu conjonctif.

Jusqu'à son dix-huitième anniversaire, l'auteur n'a pratiquement pas eu de problèmes d'hémorroïdes. Cela a changé lorsqu'il a commencé un stage dans le secteur de la construction et qu'il a travaillé sur des chantiers de construction tous les jours, par tous les temps et avec des chaussures de sécurité. À partir de ce moment-là, il a eu de fortes douleurs dues aux hémorroïdes. Elles suintaient et devaient être poussées vers l'intérieur à la main après la défécation. Un médecin lui a diagnostiqué une faiblesse du tissu conjonctif et lui a conseillé d'éviter de s'asseoir sur des surfaces froides.

À l'âge de vingt ans, l'auteur a effectué son service militaire d'un an et pendant cette période, les symptômes étaient extrêmement graves. Les marches particulièrement longues ont entraîné de grandes douleurs. Parfois, le sang coulait même sur ses jambes.

Pendant les années d'études, les hémorroïdes se sont faites oublier. Elles n'apparaissaient que rarement et ne causaient pas de problèmes ou de douleurs majeurs. Ce n'est que lors de stages occasionnels sur des chantiers de construction que les symptômes ont à nouveau augmenté.

En 2004, l'auteur a commencé à travailler comme chef de chantier sur des sites de construction internationaux. Les heures de travail étaient longues et les circonstances difficiles. Les hémorroïdes étaient visibles tous les jours en raison de douleurs intenses. Il fallait les repousser manuellement à l'intérieur après la défécation et le nettoyage n'était plus possible avec le seul papier toilette. La zone devait être nettoyée par des douches régulières. La sclérothérapie tous les deux ou trois mois et les suppositoires à la cortisone apportaient un soulagement à court terme, mais pas de façon durable.

L'auteur et son épouse pratiquent la danse de salon, ils dansent sur de la musique classique ou latino. Ils sont passionnés de danse salsa. La douleur causée par les hémorroïdes a nui à l'exercice de leur passe-temps pendant de nombreuses années. Les longues soirées de danse devaient être interrompues et raccourcies en raison de fortes douleurs.

En 2010, sur avis médical, l'auteur a décidé de se faire opérer d'une hémorroïdopexie par agrafeuse. La cicatrisation s'est avérée difficile et quatre semaines douloureuses ont suivi. Un an seulement s'était écoulé quand les hémorroïdes sont revenues et *encore un an après, c'était comme si l'opération n'avait jamais eu lieu.*

En 2016, l'auteur a découvert la cause de ses hémorroïdes et a pu se libérer complètement des symptômes en très peu de temps grâce à un changement simple mais constant de ses habitudes. Depuis lors, il n'a jamais eu de problèmes ou de douleurs. La danse a ainsi pu faire partie de son mode de vie.

Dans le chapitre suivant, les lecteurs seront amenés à découvrir une histoire dans un monde imaginaire avec un personnage principal qui a un problème. Même si la cause du problème est évidente pour les lecteurs, on leur demande de s'impliquer dans cette histoire.

L'HISTOIRE DE VICTOR

Maintenant, laissez-vous emporter dans un monde imaginaire. Dans ce pays, il n'y a ni de personnes ni d'animaux, mais seulement des voitures, différents modèles de voitures, comme dans les films pour enfants. La grande différence avec ces films d'animation est que, dans notre monde automobile, toutes les voitures ont des pneus carrés, parce que c'est très "in" et totalement à la mode. La forme de pneu la plus courante est le pneu à 8 angles. L'illustration ci-dessous montre le personnage principal de cette histoire, la voiture "Victor".

Victor est une voiture de sport de luxe qui a pris un peu d'âge depuis sa production, mais qui reste très vivante et dynamique. Victor aime parader et s'enorgueillit de l'admiration que lui portent les autres véhicules.

Il participe à de superbes expositions de voitures luxueuses où il se plait à défiler en tant que top-modèle. Son rôle est de présenter les dernières créations de pneux les plus en vogue sur la scène internationale. Le public réagit avec grand enthousiasme.

Les top-modèles portent souvent des pneus à 6, 4 ou même 3 angles. Même si ces véhicules ne peuvent pas rouler à très grande vitesse, ils sont encensés par les médias qui les présentent comme l'exemple à suivre et qui les portent aux nues comme les héros de leur temps.

Néanmoins, Victor a un problème dont il n'aime pas parler. Au sein de sa profession, c'est même un sujet absolument tabou. Il a constamment des amortisseurs défectueux en raison de vibrations excessives lors de la conduite. Les amortisseurs doivent être remplacés à intervalles réguliers car ils posent des problèmes sur le long terme. Sa douleur peut devenir incroyablement forte et pour l'un ou l'autre de ses spectacles, il doit prendre des médicaments puissants pour pouvoir y participer.

Une nouvelle installation complète coûte près de 1000 euros. Victor peut se la permettre et il se réjouit de bien gagner sa vie grâce à sa profession de top-modèle. D'autres, malheureusement, ne peuvent pas se permettre ce luxe et doivent vivre avec la douleur.

Cela ne peut pas être dû aux pneus classiques à 8 angles, c'est clair pour Victor et c'est clair dans tous les médias, dans le cas contraire, tous les véhicules auraient ces problèmes-là. Seuls 10 % environ des véhicules souffrent constamment d'amortisseurs défectueux et ceux-ci ne sont pas spécifiques à un modèle ou à une série. Aucun des amis de Victor de la même année et de la même gamme de modèles n'a ces problèmes-là. Donc, la pensée courante doit avoir raison, ça ne peut pas être les roues. Les vibrations et les dommages qui en résultent doivent avoir d'autres causes.

Certains prétendent que les roues carrées sont la cause de toutes les vibrations et que des roues circulaires, donc sans angles, seraient bien meilleures pour les véhicules. Toutefois, il doit s'agir d'"insensés" car s'ils avaient raison, les 90 % restants des véhicules auraient également ces problèmes, ce qui n'est pas le cas. Ou pour le moins, ces 90% n'en parlent pas.

"Avec une forme angulaire, le pneu peut "rouler" d'un angle à l'autre beaucoup plus facilement, car une ligne droite est beaucoup plus courte qu'un long arc". C'est l'explication reçue et acceptée des roues à 8 angles et elle est logique pour toutes les voitures. Une ligne droite entre deux points est, en fait, plus courte qu'un arc, et une voiture va, en fait, de A à B plus rapidement sur la ligne droite la plus courte.

Les amortisseurs sont des éléments importants pour la sécurité et s'ils sont défectueux, les véhicules sont retirés de la circulation, ce qui mettrait fin à la carrière professionnelle de Victor. Si les armortisseurs sont endommagés, cela augmente les vibrations, ce qui accentue la douleur. C'est un cercle vicieux.

Dans la médecine automobile générale, les vibrations peuvent avoir plusieurs causes. Par exemple, des problèmes avec le système de freinage ou les essieux sont mentionnés ou encore des ratés d'allumage ou des filtres à moteur encrassés sont également soupçonnés d'en être la cause.

Pour tous ces problèmes, il existe des ateliers spéciaux où l'on peut remplacer les pièces à grands frais, afin d'éliminer la cause possible du problème. Après le remplacement ou la reconstruction, les problèmes de vibrations et d'amortisseurs défectueux devraient avoir disparu.

Victor a déjà vécu une véritable odyssée avec ces garages et il est allé voir tous les experts en vibrations qui demandaient des prix élevés pour leurs "conseils d'experts". Finalement, ils n'ont pas pu résoudre la cause des vibrations et des amortisseurs défectueux. Le diagnostic unanime de ces experts en voiture était sans retour : "un mécanisme fragile".

Il est maintenant clair pour Victor qu'il ne pourra pas résoudre son problème et devra vivre avec le reste de sa vie, car il est dû à son mécanisme, c'est-à-dire à l'ensemble de ses composants et à la façon dont ils sont reliés entre eux. Cet ensemble est plus fragile que dans les autres véhicules et c'est pourquoi l'altération qui affecte ses amortisseurs survient de manière récurrente.

Cette défaillance n'a pas de remède. Victor a maintenant accepté cette situation. Dans le même temps, cela lui apporte un certain soulagement car on comprend enfin quel est son problème.

Les lecteurs, bien sûr, voient clair dans cette histoire dès le début et comprennent que la véritable cause des problèmes de Victor avec ses amortisseurs n'est pas seulement due à une structure plus fragile, ce qui pourrait bien en être une raison, mais que ce sont les pneux carrés qui représentent, en fait, la cause principale de ses problèmes. Le lecteur le discerne très bien : des pneus ronds apporteraient une solution.

Tout comme Victor, de nombreuses personnes dans notre réalité ont des problèmes avec un certain nombre de "composants" et les hémorroïdes n'en sont qu'un exemple spécifique. Nombreux sont ceux qui ont également traversé une odyssée, allant de spécialistes en experts : on les abreuvait de conseils moyennant beaucoup d'argent mais finalement on ne soulageait jamais leurs maux, même si on les atténuait parfois.

Tout comme le "corps" fragile de Victor, beaucoup de ces patients sont diagnostiqués comme ayant un tissu conjonctif fragile et, tout comme Victor, ce diagnostic n'est qu'une cause partielle et non la raison principale de leur souffrance.

Dans le chapitre suivant, le tissu conjonctif sera décrit en détail. C'est ce que l'on appelle les fascias. Ils sont reliés à tous nos organes et parcourent toutes les parties de notre corps.

FASCIAS ET TISSU CONJONCTIF

Le terme fascia vient du latin et signifie bande ou bandage. Le Congrès international de recherche sur le fascia, qui s'est réuni pour la première fois en 2007, a formulé une description complète du fascia, qui peut être comprise grossièrement comme le terme médical "tissu conjonctif". Elle est décrite sur Wikipedia comme suit :

Les Fascias sont les composants mous du tissu conjonctif qui enveloppent les structures anatomiques du corps grâce à un réseau de tension.

Dans la definition française, un fascia est une membrane fibro-élastique qui recouvre ou enveloppe une structure anatomique. Il est composé de tissu conjonctif très riche en fibres de collagène. Les fascias sont connus pour être des structures passives de transmission des contraintes générées par l'activité musculaire ou des forces extérieures au corps.

Dans la définition en anglais, il est précisé qu'il s'agit de tous les tissus conjonctifs, collagènes et fibreux, notamment les capsules des articulations et des organes, les plaques tendineuses, les ligaments, les tendons, ainsi que les fascias proprement dits dans la région lombaire, qui enveloppent les muscles extenseurs du dos comme un collant.

Les fascias se répartissent grossièrement en trois zones: Le fascia superficiel, qui se trouve principalement dans le tissu sous-cutané ; le fascia profond, qui entoure et pénètre les muscles, les os et les vaisseaux sanguins ; et enfin le fascia viscéral. Ce dernier sert à suspendre et à contenir les organes internes.

En raison de leur grande élasticité, les fascias superficiels peuvent être étirés de manière significative et peuvent ainsi compenser de manière dynamique les changements du corps humain. Le fascia viscéral est moins élastique, mais sa tension est un élément important et les changements survenant ailleurs peuvent être compensés dans une certaine mesure. Les fascias profonds sont également moins élastiques et moins irrigués, mais possèdent des récepteurs sensoriels qui peuvent signaler une pression ou une douleur.

Les fascias constituent donc un tissu global qui relie toutes les parties du corps entre elles. Par exemple, les fascias des pieds sont indirectement reliés aux fascias du plancher pelvien, mais aussi à ceux de la tête et des yeux. Certains experts parlent même des fascias comme d'un organe sensoriel à part entière, car ils sont reliés aux cellules nerveuses.

Étant donné que les fascias sont reliés à tous les organes et à toutes les parties du corps, toutes les dysfonctions, opérations, interventions et traitements sur certaines parties du corps ont des effets simultanés sur d'autres. Cela peut entraîner des distorsions même si, à première vue, le lien n'est pas apparent.

Les fascias ont évolué sur le plan de l'évolution biologique pendant des millions d'années dans le corps humain du chasseur-cueilleur. Au cours des deux derniers millénaires de développement humain, pratiquement aucune adaptation n'a pu se produire, et surtout pas au cours des 50 à 100 dernières années, l'ère de l'industrialisation et maintenant de la numérisation.

Les fascias dynamiques sont constamment affaiblis à l'époque moderne par le mode de vie des personnes dans les pays industrialisés et s'atrophient de plus en plus pour devenir un simple tissu conjonctif en raison d'un manque de mouvement ou d'une assise trop confortable. Pourtant, sur le plan de l'évolution biologique, ils sont beaucoup plus que cela, d'où la nécessité d'informer et de former les personnes. Et cela peut se faire de différentes manières.

Il peut également s'agir d'une faiblesse congénitale du tissu conjonctif, qui est de nature héréditaire, par exemple. Les personnes présentant une faiblesse congénitale du tissu conjonctif sont souvent plus sujettes à des problèmes tels qu'une mauvaise vue, des hémorroïdes, des problèmes d'impuissance ou d'autres symptômes.

La position assise constante sur des sièges modernes et confortables, le travail "contre nature" sur des ordinateurs et, depuis quelques années, l'utilisation excessive de smartphones et de tablettes ont entraîné un affaiblissement à grande échelle des fascias et de l'ensemble des tissus.

Une zone, au sein du fascia, qui est particulièrement désavantagée ici est le plancher pelvien. Contrairement aux fascias et aux muscles du dos ou des bras, ceux du plancher pelvien ne sont pas visibles de l'extérieur et peuvent donc facilement être oubliés.

Chez les femmes, les fascias du plancher pelvien jouent un rôle important lors de l'accouchement. Chez les deux sexes, ils servent de lien entre les organes reproducteurs et ont un impact majeur sur la sexualité.

Chez les hommes, un plancher pelvien affaibli peut entraîner des problèmes tels que l'éjaculation précoce. Par conséquent, des fascias sains et fonctionnels au niveau du plancher pelvien constituent un aspect important pour être en bonne santé.

Lorsque les gens vivaient en tant que chasseurs-cueilleurs, il n'y avait pas de sièges confortables sur lesquels s'asseoir pour se reposer en cas de besoin. Le sol était sale et colonisé par des bactéries ou d'autres petites créatures qui entraînaient souvent des problèmes parasitaires. À cette époque, et pendant plusieurs dizaines de milliers d'années avant et après, la position dite "accroupie" était la position assise normale de l'homme, qui pouvait être adoptée n'importe quand et n'importe où pour se reposer et "s'asseoir".

Aujourd'hui, cette position assise accroupie également appelée en anglais "deep squat" et en français "accroupissement maximum" est encore utilisée quotidiennement en Afrique et en Asie par les populations qui y vivent, mais dans les pays industrialisés, cette position assise est devenue totalement inconnue. 90% des personnes dans ces pays ne sont même pas capables d'adopter cette position accroupie pendant plus de quelques secondes sans avoir recours à des aides.

L'illustration montre cet "accroupissement maximum" ; on peut voir que les deux pieds sont à plat sur le sol avec le talon abaissé, ce qui permet à la personne de se mettre en position de repos.

Cette position accroupie est également la position naturelle, selon l'évolution biologique, de la défécation chez les humains. Dans cette position, les matières fécales peuvent être évacuées du rectum sans pression. Dans la position non naturelle du siège des toilettes occidentales, le bassin repose sur le siège et les fascias sont soulagés. Le rectum forme alors un L, nécessitant une pression pour le vider. Cela affaiblit encore plus le fascia du plancher pelvien à chaque défécation.

Cet affaiblissement du fascia du plancher pelvien participe de la faiblesse du tissu conjonctif, qu'elle soit congénitale ou acquise par de mauvaises habitudes. La bonne nouvelle est que ce tissu conjonctif fragilisé peut être renforcé durablement par un entraînement ciblé et quelques exercices simples. Les exercices suivants peuvent être appliqués ici :

Le principal exercice pour renforcer le fascia du plancher pelvien consiste à pratiquer quotidiennement l'accroupissement maximum.

Un autre exercice simple consiste à fermer et à remonter l'os pubien. Vous pouvez aussi le comparer à la fermeture du bassin.

Les femmes peuvent entraîner le sphincter et les hommes peuvent entraîner le sphincter et la base du pénis (connexion du pénis au pelvis) dans le plancher pelvien. Ici aussi, le plancher pelvien est entraîné et renforcé. Ces exercices peuvent être faits à tout moment, même au travail ou dans une minute de calme. De l'extérieur, la pratique ne peut être remarquée.

Cependant, les exercices décrits ci-dessus et le renforcement ciblé d'un tissu conjonctif fragile ne sont qu'un aspect de l'élimination des hémorroïdes et n'en sont pas la raison principale.

Revenons à Victor. Il avait également un "corps" fragilisé, peut-être depuis sa production. Il était et reste toujours plus sensible aux vibrations. Les autres voitures de la même série ne sont pas concernées. Ce n'est pas un corps fragile qui est la cause de tous ces problèmes mais bien les pneus à huit angles !

Il en va de même pour les fascias et le tissu conjonctif affaibli. Ils ne sont qu'un effet secondaire à ne pas négliger, mais ils ne sont pas la cause principale. La cause principale des hémorroïdes, de leur douleur et de l'ensemble de la symptomatologie sera présentée en détail dans le chapitre suivant. Seul un changement fondamental et une transformation de cette cause principale conduiront à une solution durable du problème.

L'auteur souffre lui-même d'une faiblesse du tissu conjonctif, ce qui a entraîné toutes sortes de symptômes. Les douleurs intenses et les problèmes d'hémorroïdes ne représentaient qu'un des symptômes, bien que très grave.

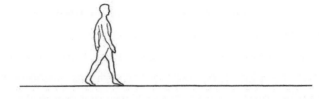

SUPPORTS ANATOMIQUES DE L'HUMAIN

Les pieds humains sont un chef-d'œuvre de l'évolution. Les meilleurs ingénieurs et techniciens de cette planète n'auraient pas pu les développer mieux qu'ils n'existent sous leur forme actuelle. Ils constituent la base d'appui le plus important de l'Homme.

Le corps humain compte 206 os différents. Avec le tarse, le pied se compose à lui seul de 34 os différents (15%), qui sont reliés à une multitude de fascias, de ligaments et de muscles pour former une véritable merveille de la nature.

En moyenne, une personne fait environ 7 500 pas par jour. Au terme d'une vie de 80 ans, cela représente plus de 170 000 km, soit près de 220 millions de pas individuels. Par pas, chaque pied doit porter environ 60 % du poids du corps et, avec un poids corporel moyen de 70 kg, cela représente un poids total de près de 10 millions de tonnes au cours d'une vie. C'est à peu près l'équivalent du poids des deux grandes pyramides égyptiennes réunies. Pour faire face à une charge et à des performances aussi importantes et pour porter le corps en bonne santé jusqu'à la fin de la vie, une construction spéciale est nécessaire.

On peut imaginer que même de petites incohérences, des interventions et des problèmes au niveau des pieds, (supports anatomiques et fondement de l'Homme) peuvent entraîner de plus gros problèmes ailleurs. Imaginez une grande tour dont les fondations ont été correctement conçues mais mal construites lors de son exécution. Il ne serait pas surprenant que cette tour ait eu une courte durée de vie.

Revenons à notre histoire originelle sur Victor. La cause principale de ses amortisseurs défectueux n'est pas seulement un "corps" fragilisé, c'est-à-dire un tissu conjonctif affaibli analogue à celui de l'Homme, mais surtout les pneus à 8 angles. Ils sont en fin de compte responsables des vibrations. C'est exactement la même chose avec les hémorroïdes. La principale cause des hémorroïdes et de tous les symptômes qui y sont associés réside dans une mauvaise façon de marcher et de mauvaises chaussures.

Malheureusement, plus de 99 % des personnes vivant dans les pays industrialisés marchent constamment en utilisant une marche inadaptée qui consiste à prendre appui sur le talon et que nous appelerons "la marche sur le talon", et cela, alors que leurs pieds sont enfermés dans des chaussures étroites. On pourrait dire qu'ils ont oublié leur marche naturelle née de l'évolution biologique ou que celle-ci leur a été graduellement retirée au cours des derniers siècles. Toutes ces personnes, lorsqu'elles marchent, prennent appui en premier lieu sur le talon et, comme cette démarche est très douloureuse à long terme, elles ont besoin de chaussures spéciales avec un amorti du talon. Le port de ces chaussures associé à la marche sur le talon, qui va à l'encontre de notre marche originelle, n'est pas seulement la cause principale des hémorroïdes, mais de toute une série d'autres problèmes au niveau des veines, des yeux, de l'appareil locomoteur et d'autres problèmes d'organes qui sont reliés par le fascia.

La bonne nouvelle, c'est qu'il est possible à tout moment d'opérer un changement fondamental dans la marche humaine : il est possible de revenir à la marche biologique primitive, selon l'évolution, qui est la marche sur la plante des pieds ou plus précisément la marche sur la partie antèrieure de la plante du pied (la partie avant du pied) que l'on appelera ici la "marche sur la pointe des pieds". Il est intéressant de noter que lorsque ce changement est effectué de manière active et consciente, le pied se souvient immédiatement de la manière dont il est censé être utilisé et s'adapte à ce changement de marche en quelques jours seulement.

Vous trouverez dans les pages suivantes l'explication de cette démarche originelle de l'Homme et vous verrez comment chacun peut la réapprendre. Cette méthode ne vous coûtera rien et chacun pourra la suivre chez lui. En revanche, vous devez savoir que ses avantages et notamment ses effets positifs sur la santé et le bien-être physique procuré sont considérables et en même temps sans rapport avec l'argent que d'autres méthodes pourraient vous demander.

Les médias parlent souvent de la capacité du pied à bien "rouler" lors d'une course. Pour rouler, il faudrait que le pied soit convexe (photo de gauche). Cependant, le pied est concave (photo de droite) et le "roulement" n'est donc pas du tout possible. L'illustration suivante montre le pied concave sans fascia.

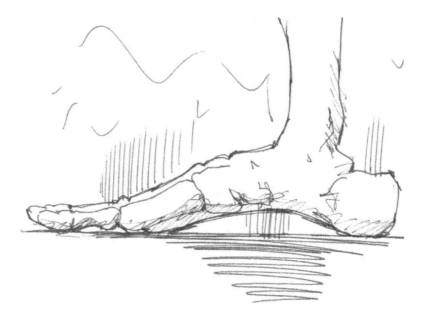

Lorsque la marche originelle sur la pointe des pieds est pratiquée, le pied touche d'abord le sol avec la pointe du pied à chaque pas, puis absorbe l'énergie cinétique de la marche, qui peut ensuite être libérée vers le sol lorsque la pointe du pied quitte l'avant-pied, rendant le mouvement beaucoup plus facile et plus fluide.

Il y a un million d'années, lorsque les premiers humains parcouraient les forêts et les savanes en tant que chasseurs-cueilleurs, ils ne le faisaient pas sur des routes lisses et plates, mais sur un sol irrégulier d'herbe, d'argile ou de pierres. Cela a permis aux pieds nus de développer leur propre type d'intelligence du pied, ce qui a permis de grands progrés pour les déplacements de l'homme sur le terrain. Les illustrations suivantes sont destinées à montrer comment les pieds touchent le sol afin de porter le poids de l'être humain de la meilleure façon possible et de s'équilibrer sur un sol irrégulier.

L'illustration ci-dessus montre la zone de l'extérieur de la pointe du pied avec laquelle le pied touche d'abord le sol lors de la marche sur la pointe des pieds. De fins capteurs et récepteurs dans la peau de la plante du pied détectent l'état du sol.

Si cette surface est adaptée à un toucher de pied complet, c'est alors la partie intérieure de la pointe du pied qui touche le sol, ce qui entraîne un contact complet de l'avant-pied avec le sol.

Puis, dans la phase finale, le talon peut être abaissé, ce qui permet au poids du corps de reposer facilement sur l'ensemble du pied.

Si le sol est rocailleux, très irrégulier ou inadapté au poids total du corps, la partie extérieure de la plante du pied le "signale" par des connexions nerveuses et la plante du pied ne touche le sol qu'à certains endroits, le talon n'étant pas abaissé. Ces processus se produisent en quelques millisecondes de manière tout à fait inconsciente pour la personne, mais représentent un mécanisme de protection important. De nombreuses personnes ont déjà fait cette expérience en marchant pieds nus sur un sol pierreux.

Grâce à cette démarche naturelle, le poids du corps est porté en douceur d'un pas à l'autre et l'énergie cinétique est chargée et libérée intelligemment par les pieds respectivement. Il en résulte un mouvement fluide et sain, et les os, les articulations et les fascias du corps sont protégés et soulagés. Un effet secondaire de cette façon de marcher est que la foulée n'est pas très longue, mais donne l'impression de glisser. Lorsque l'on marche plus vite (jogging sur la pointe du pied), on peut également augmenter quelque peu la largeur de la foulée.

À titre d'expérience, vous pouvez vous boucher les oreilles et marcher sur différentes surfaces en marchant sur la pointe des pieds. Quel que soit l'état de cette surface particulière, on ne perçoit pratiquement aucun bruit. Le poids du corps est amorti de manière silencieuse et intelligente à chaque pas.

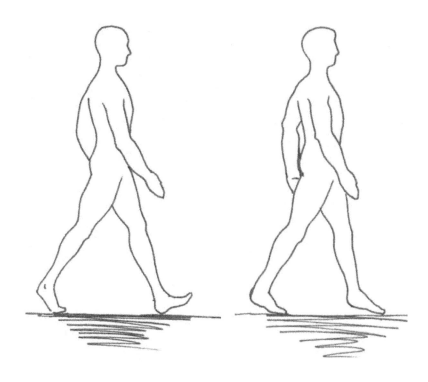

Lorsque l'on marche sur le talon, l'intelligence naturelle du pied est largement supprimée.

La pose du pied au sol, sur le talon, absolument rigide et non élastique, fait que toute la force du poids du corps est écrasée sur le sol sans protection. Ces forts impacts et vibrations doivent être compensés par les articulations, les os et les fascias du système musculo-squelettique de la personne, ce qui ne peut qu'entraîner des problèmes à long terme.

A titre de test, il est conseillé de se boucher les oreilles et de se déplacer sur différentes surfaces avec et sans chaussures en pratiquant la démarche sur le talon et de percevoir ces sons. La comparaison est éclairante entre le bruit sourd tel un "boum" causé par l'impact du talon sur le sol dans la marche sur le talon et le bruit léger et aéré dans la marche sur la pointe des pieds.

Imaginez ici la pression exercée sur le corps au cours des 220 millions de pas d'une vie de 80 ans. Une charge aussi lourde doit inévitablement avoir des conséquences sur le corps.

Que vous montiez ou que vous descendiez les escaliers, le pied prend contact avec le sol toujours sur la pointe en premier et non sur le talon. Même lorsque le pied saute sur place ou sur de longues distances, il le fait avec la pointe du pied, car "l'atterrissage" sur le talon serait tout simplement trop douloureux.

Au fil du temps, l'industrie de la chaussure a mis au point un rembourrage de plus en plus performant au niveau des talons, qui compense le dur impact provoqué par la pose du talon sur le sol. De plus, le pied est isolé dans la chaussure et coupé de l'environnement et peut donc difficilement développer sa propre intelligence du pied.

Les chaussures rigides avec rembourrage du talon entraînent également une augmentation anormale de la longueur de la foulée, ce qui a un effet néfaste sur les fascias. En particulier, le port de chaussures à talons hauts, de chaussures de sécurité rigides avec des embouts et des semelles en acier ou de bottes militaires pour la marche, augmente particulièrement la longueur de la foulée et soumet les fascias à un stress extrême.

Les personnes travaillant sur des chantiers de construction ou sur des bases militaires, par exemple, seront beaucoup plus susceptibles d'être touchées par les hémorroïdes que les personnes qui portent des chaussures plates.

Même dans les loisirs, autre exemple, les personnes qui dansent en portant des chaussures à talons hauts sont plus susceptibles d'être touchées par des problèmes de santé tels que les hémorroïdes.

Les chaussures sont une invention de l'homme. Cette invention a permis à l'homme de conquérir de nouvelles terres inhospitalières. Ils protégeaient ainsi leurs pieds contre les influences extérieures, les pierres saillantes, les épines, le froid ou l'eau.

Le peuplement de l'Europe centrale et du Nord après la dernière grande période glaciaire et le franchissement des Alpes par l'homme sont principalement dus à l'invention des chaussures.

Ces chaussures avaient un aspect très différent à l'époque et n'avaient pas de protection du talon, c'est pourquoi la marche sur la pointe des pieds était encore la manière naturelle de marcher.

Ce n'est qu'au cours des deux derniers millénaires, depuis les Grecs et les Romains de l'Antiquité, que des sandales plus solides avec des semelles plus résistantes ont été utilisées et que la marche sur le talon a été de plus en plus "cultivée".

Les pieds eux-même et leur fonction étaient de plus en plus relégués au second plan, bien qu'artisans ou scientifiques aient certainement remarqué des problèmes avec le système locomoteur. Néanmoins, aucune réflexion approfondie et organisée n'avait pu faire suite à leurs observations.

L'anatomiste néerlandais Petrus Camper (1722-89) a décrit ce phénomène dans son livre "Traité sur la meilleure forme des chaussures", publié en allemand en 1783, de la manière suivante : "Il est étonnant que des hommes méritants aient de tout temps étendu leurs soins aux sabots des chevaux, des mules, des bœufs et autres animaux de charge, jusqu'aux moindres details, mais aient entièrement négligé les pieds de leurs égaux et les aient abandonnés à l'ignorance des artisans."

La cause bio-mécanique des hémorroïdes est la marche sur le talon. Le passage à la marche sur la pointe des pieds qui est notre marche primitive et originelle, selon l'évolution biologique, élimine la cause et donc aussi ses symptômes, les hémorroïdes.

La marche sur la pointe des pieds peut également être pratiquée avec des chaussures. Il existe toute une gamme de "chaussures minimalistes" ou "chaussures pieds nus" (en anglais, "barefoot shoes") spéciales à cet effet. Ce point sera abordé plus en détail dans un chapitre ultérieur, sous la rubrique "Motivation et conseils".

Marcher sans chaussures présente toute une série d'avantages. Lorsque les pieds sont libérés de leurs chaussures, leur prison de longue date, ils peuvent vraiment se déployer à nouveau. Bien entendu, c'est avec les pieds nus que ce déploiement est le plus efficace, car la peau de la plante des pieds peut alors être réactivée.

À l'intérieur de cette peau se trouvent des milliers et des milliers de capteurs du système nerveux, qui transmettent des informations via la moelle épinière au cerveau et à toutes les autres zones du corps. Il peut s'agir de chaleur, de froid ou de conditions du sol. En médecine orientale, ces connaissances sont connues depuis des milliers d'années et sont utilisées en acupuncture ou en réflexologie plantaire.

Cette seule peau n'a qu'une épaisseur d'environ 0,5 cm chez la plupart des gens. Pour les personnes qui marchent régulièrement pieds nus, elle peut même atteindre un à deux centimètres d'épaisseur. Cependant, l'augmentation de l'épaisseur ne la rend pas moins sensible, mais augmente seulement l'apport sanguin. Il s'agit donc d'un élément important de l'assise de la personne et une réactivation peut certainement apporter un certain nombre d'effets positifs avec elle.

De manière analogue, à ce stade, nous devrions revenir à Victor. Il est immédiatement clair, pour toute personne sensée et réfléchie qui connaît l'histoire de Victor, que les amortisseurs défectueux et les vibrations constantes ne peuvent trouver leur cause principale que dans les pneus à 8 angles. Regarder ce problème de l'extérieur ne peut que nous amener à cette conclusion. Le remplacement et l'installation de pneus ronds permettraient de résoudre immédiatement et définitivement le problème. Du point de vue de l'évolution biologique, les pneus ronds seraient également la "forme naturelle" pour une voiture, mais pour une raison historique, les roues carrées ont maintenant prévalu dans ce monde imaginaire, au détriment de la santé des véhicules. Les véhicules de ce monde imaginaire ne peuvent manifestement pas comprendre cette auto-réflexion.

Il est intéressant de noter que cette réflexion sur soi et cette connaissance de soi sont également rares chez les humains. Les amateurs de voitures en concluent immédiatement que les vibrations doivent provenir des pneus anguleux. Mais si vous montrez ensuite aux mêmes personnes leurs propres chaussures et leur marche sur le talon, elles ont généralement du mal à remettre en question de manière critique ce qu'elles ont "appris" pendant des décennies et à tirer les bonnes conclusions.

Mais même si les gens remettent ces habitudes en question de manière critique, il est difficile de les changer comme ça. Le médecin allemand Dr. Peter Greb le décrit dans son livre sur la marche sur la pointe des pieds publié en 2000 "GODO - Marchez avec le cœur ; La démarche de l'homme nouveau". Il donne un certain nombre de raisons pour lesquelles le passage à la marche sur la pointe des pieds est difficile pour beaucoup, en effet, cela solicite un changement d'habitudes acquises depuis des décennies. Selon ce principe, la transition consiste à lâcher prise, ce à quoi de nombreuses personnes réagissent par le doute et préfèrent se raccrocher à l'ancien. En outre, il affirme que la signification psycho-sociale de la démarche sur les talons a été une adaptation difficile dans l'enfance de chacun. Une tentative de l'abandonner peut entraîner une confusion.

Selon Peter Greb, deux autres aspects importants pour s'en tenir à la marche sur le talon sont, d'une part, les préférences de mode particulières que l'on s'est forgées en matière de chaussures afin de signaler sa propre individualité. D'autre part, la crainte d'attirer l'attention si l'on marche soudainement d'une manière différente des autres êtres humains peut contraindre le changement.

Les pages suivantes décrivent comment réussir le passage à la marche sur la pointe des pieds. Cela peut réduire la douleur et les symptômes des hémorroïdes en quatre semaines seulement, à tel point qu'une nouvelle qualité de vie, longtemps inconnue, est rendue possible.

En 2016, l'auteur a découvert que la cause des hémorroïdes était la démarche sur le talon. De longues marches dans des chaussures rigides provoquent des hémorroïdes chez les personnes présentant une faiblesse du tissu conjonctif. Lorsque l'auteur a commencé sa formation sur les chantiers de construction, il devait porter tous les jours des chaussures de sécurité lourdes et rigides avec des embouts et des semelles en acier pour protéger ses pieds. Ces chaussures favorisaient l'apparition des hémorroïdes.

Pendant son service militaire, l'auteur a dû porter tous les jours des bottes militaires très rigides avec une forte élévation du talon. Les pas de la marche sur le talon étaient ainsi artificiellement et anormalement prolongés et entraînaient une aggravation des symptômes jusqu'à l'hémorragie spontanée lors de marches plus longues.

Lorsqu'il travaillait comme chef de chantier sur des sites de construction internationaux, l'auteur devait toujours porter ses chaussures de sécurité rigides à embout et semelle en acier.

En 2010, la douleur et les symptômes étaient si importants que les hémorroïdes ont été retirées chirurgicalement. Par la suite, l'auteur a continué à travailler normalement dans sa profession de directeur de travaux et les hémorroïdes sont revenues quelque temps après.

Depuis 2016 et le passage à la marche sur la pointe des pieds, les hémorroïdes ne sont pas revenues, l'auteur marche quotidiennement en utilisant la marche sur la pointe des pieds uniquement. Cela se produit aussi naturellement que la marche inadaptée sur le talon a été pratiquée pendant de nombreuses décennies, mais maintenant les symptômes ont disparu !

Depuis lors, le passe-temps de l'auteur, la danse, est devenu une véritable joie. Avec la marche sur la pointe des pieds et des chaussures plates minimalistes, il peut danser pendant des heures, sans douleur.

Au cours des dernières années, l'auteur a fait part de son expérience à de nombreuses autres personnes et a pu les aider à se libérer de leurs symptômes en peu de temps.

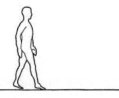

LE PROGRAMME DE QUATRE SEMAINES

Dans les lignes qui suivent, il sera expliqué comment les personnes concernées peuvent améliorer de manière significative la douleur et les symptômes de leurs hémorroïdes, en seulement quatre semaines. Avec une mise en œuvre cohérente des directives, il est possible d'atteindre 50 à 75 % des améliorations visées dès la première semaine.

Le changement de marche et les exercices de chaque semaine sont expliqués individuellement et peuvent être pratiqués très facilement.

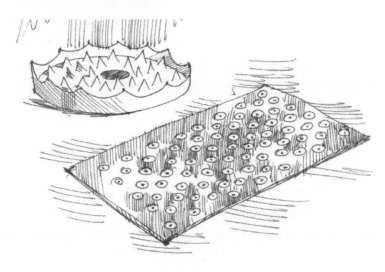

Un seul article est nécessaire pour le programme de quatre semaines. L'illustration ci-dessus montre un tapis de massage (ou d'accupuncture) encore appelé tapis de picots (ou d'aiguilles). Les prix se situent entre 20 et 30 euros. Les picots stimulent les pieds comme dans un massage de réflexologie plantaire et simulent une surface graveleuse à laquelle les pieds doivent s'adapter. L'utilisation fréquente et quotidienne de ce tapis est très utile pour la transition vers la marche sur la pointe des pieds. Cela réactive les pieds et la peau de la plante des pieds, qui ont souvent été enfermés dans des chaussures serrées et rigides pendant des années.

Un exercice important est la marche sur place. En même temps que la contre-rotation des épaules, il ne faut pas oublier de laisser les bras se balancer en rythme. L'exercice peut être fait le matin, immédiatement après le lever, pendant quelques minutes.

Un bon exercice, en complément, est le sautillement sur place, et le mouvement principal pour ce sautillement vient du pied et de la plante. Au début, seulement faiblement, mais ensuite plus fort et plus haut. Les genoux et les jambes doivent rester élastiques.

Un autre exercice essentiel, qui soutient la transition, est le "deep squat" ou "accroupissement maximum". Dans cet accroupissement, les talons restent le plus possible sur le sol ou du moins sont abaissés au maximum. Le but ultime de l'exercice est que le haut du corps descende le plus bas possible avec les talons complètement abaissés, la majorité du poids reposant sur la plante des pieds. Afin de ne pas perdre l'équilibre, il peut être conseillé de s'accrocher à un pied de table ou au mur.

Le resserrement du sphincter est également un exercice important. Vous pouvez également comparer cela à la fermeture du bassin. Les hommes peuvent contracter la base du pénis et le muscle sphincter, les femmes uniquement le muscle sphincter vers l'intérieur en alternance constante, maintenir la tension pendant 10 à 60 secondes, puis se détendre à nouveau. Ce simple renforcement des fascias du plancher pelvien est utilisé dans de nombreuses pratiques de yoga, mais aussi par les moines tibétains, par exemple dans la célèbre méditation Tummo.

Attention: les personnes souffrant de déformations ou de maladies du pied doivent prendre plus de temps et prêter attention à leurs sensations lors du passage à la marche sur la pointe des pieds. En cas de douleurs ou de problèmes, consultez un médecin.

Maintenant, passez à la marche sur la pointe des pieds. A partir d'aujourd'hui, la marche sur le talon est derrière vous. Une nouvelle ère commence dans votre vie et pour votre mouvement. À partir d'aujourd'hui, faites chaque pas avec la pointe du pied en premier.

Lorsque vous êtes à l'intérieur, marchez pieds nus ou en chaussettes et marchez comme si vous glissiez, c'est-à-dire aussi silencieusement que possible. Pour votre propre contrôle, vous pouvez aussi de temps en temps vous boucher les oreilles et écouter les bruits de pas. C'est la façon la plus simple de vous entraîner à la marche sur la pointe des pieds.

Si vous sortez, portez des chaussures plates et confortables, sans talon surélevé, qui ne contraignent pas le pied. Si la surface et le climat le permettent, vous pouvez également marcher pieds nus, mais faites attention et n'allez pas plus loin que ce qui est convenable pour vous pendant la première semaine. Ici, on peut rapidement en arriver à une surcharge douloureuse des pieds.

Si vous vous promenez et que personne ne vous voit, marchez à nouveau aussi silencieusement et prudemment que possible. Si vous êtes dans un endroit où il y a beaucoup de monde, alors marchez comme ça sur la pointe des pieds sans vous cacher. Même si cela vous semble complètement nouveau et peu familier, personne d'autre ne le remarquera.

À la maison, il est utile d'utiliser le tapis de massage aussi appelé tapis d'acupuncture. Tenez-vous debout dessus deux fois par heure pendant 20 à 30 secondes à chaque fois (pieds nus), mais seulement aussi longtemps que cela est convenable pour vous. Assurez-vous que le poids repose sur l'ensemble du pied, et pas seulement sur le talon. C'est toujours difficile le premier jour, mais cela devient plus facile et plus confortable de jour en jour.

Lorsque vous vous réveillez le matin et que vous sortez du lit, rappelez-vous que dès le premier pas, vous recommencez immédiatement à marcher en utilisant la marche sur la pointe des pieds. Ce rappel matinal et la décision consciente et quotidienne pour la marche sur la pointe des pieds sont un aspect important du changement. Pour soutenir cette décision consciente, il est utile de marcher sur place pendant quelques minutes immédiatement après s'être levé. Cela accompagne très bien le chan

Le matin, il se peut que vous ayez un peu mal aux pieds pendant 30 à 60 minutes lorsque vous commencez par une marche sur la pointe des pieds. Il s'agit d'une douleur musculaire qui peut prendre de 4 à 8 semaines pour que le corps retrouve sa démarche naturelle selon la marche biologique du début de l'évolution.

Un changement après plus de 50 ans de marche sur le talon a comme "effet secondaire" des douleurs matinales lors des premiers pas. Cette douleur est expliquée plus en détail dans le chapitre "Motivation et conseils".

Faites tout comme vous l'avez fait la première semaine. Commencez chaque jour par la marche sur la pointe des pieds et pratiquez-la aussi souvent que possible. La marche sur les talons est désormais une relique du passé.

Utilisez le tapis d'acupuncture aussi souvent que vous le pouvez. Maintenant, ne vous contentez pas de reposer vos pieds sur le tapis, mais levez-les et laissez-les reposer à nouveau sur le tapis. Ensuite, vous pouvez marcher sur place. Trouvez ici votre propre rythme et l'intensité qui vous convient. Vous verrez que la peau de la plante des pieds devient plus forte et moins sensible.

Maintenant, pratiquez l'accroupissement maximum pendant quelques minutes chaque jour, au moins deux fois par jour. Essayez autant que possible de poser les talons sur le sol. Utilisez un pied de table ou un autre meuble stable pour vous aider à trouver l'équilibre. Si vous ne pouvez plus rester accroupi si longtemps, redressez-vous simplement et secouez vos jambes. Vous pouvez ensuite vous accroupir à nouveau. Ne forcez pas le succès. Cela viendra plus aisément avec le temps et vous serez capable de faire l'accroupissement maximum de plus en plus facilement. Les femmes ont plus de facilité que les hommes dans ce domaine, car l'hormone œstrogène est responsable du fait que les femmes ont une densité de fascia plus faible et sont donc plus souple.

Faites tout comme vous l'avez fait au cours des deux semaines précédentes. Ne pratiquez que la marche sur la pointe des pieds. Ne retombez pas dans la marche sur le talon. Lorsque les températures et le temps le permettent, sortez et marchez pieds nus sur différentes surfaces. Intensifiez la sensation du contact des pieds avec le sol.

Continuez à utiliser le tapis d'acupuncture quotidiennement. Maintenant, en complément de la marche sur place, commencez à sauter sur place de haut en bas. D'abord avec peu, puis avec de plus en plus d'élan. Encore une fois, trouvez votre propre rythme. Cet élan augmentera automatiquement au cours de la semaine. La peau de la plante des pieds devient plus épaisse et plus résistante, mais reste sensible.

Pratiquez l'accroupissement maximum aussi souvent que possible et essayez de toucher le sol avec votre talon, en gardant votre poids sur la plante du pied. Vous pouvez pratiquer l'accroupissement le soir en regardant la télévision ou en faisant une autre activité sédentaire. C'est assez simple et naturel.

Faites maintenant d'autres exercices du plancher pelvien, comme décrit précédemment. Les femmes avec le sphincter et les hommes avec le sphincter et la base du pénis. Vous pouvez faire ces exercices au bureau, le soir au lit ou quand vous le souhaitez. Personne ne peut voir que vous faites travailler le plancher pelvien.

En option :
Vous pouvez désormais également faire vos besoins sur un siège d'appoint. Ce siège d'appoint et la pratique de la défécation seront décrits en détail dans un chapitre ultérieur.

MOTIVATION ET CONSEILS

Félicitations ! Vous avez réussi ! Les quatre semaines sont terminées !

Après une mise en œuvre systématique, vos hémorroïdes ne devraient plus guère vous faire mal.

Le principal succès repose sur le changement fondamental du système musculo-squelettique. Si vous passez systématiquement à la marche sur la pointe des pieds dès la première semaine, vous pouvez atteindre 50 à 75 % du succès total dès cette première semaine.

Dans les chapitres suivants, toute une série de conseils utiles seront donnés pour que ces quatre semaines de transition débouchent sur un succès durable. En outre, des techniques sont montrées sur la façon de se motiver pour effectuer le changement. La majorité de ces aspects sont basés sur les expériences de l'auteur et d'autres personnes qui sont passées avec succès à la marche sur la pointe des pieds et ont pu ainsi guérir d'hémorroïdes douloureuses.

La première semaine est de loin la période la plus importante pour la transition vers la marche sur la pointe des pieds. Les fondations doivent être posées à partir de zéro et cela nécessite une mise en œuvre cohérente.

Pour beaucoup d'entre nous, ce n'est pas si facile à faire à la maison, au travail ou dans le tourbillon de la vie quotidienne. Il peut être très utile de prendre une semaine de congé à cet effet, loin de chez soi, pour s'entraîner à ce changement fondammental.

Ce nouvel endroit peut être, par exemple, au bord de la mer avec une plage ou un lieu dans les montagnes avec de beaux sentiers de randonnée naturels et des prairies vertes. Là, loin de l'agitation de la vie quotidienne, la marche sur la pointe des pieds et la marche pieds nus peuvent alors être pratiquées de manière intensive.

Un entraînement cohérent et constant de la marche sur la pointe des pieds pendant la première semaine jettera les bases pour les années et les décennies à venir. Il est recommandé de prendre cette première semaine avec le plus de sérieux possible.

L'auteur a pris une semaine de vacances à cet effet et dans ce laps de temps, il est passé systématiquement à la marche sur la pointe des pieds. Même à la fin du mois d'octobre, il marchait dehors pieds nus, autant que possible, à travers les champs et les prairies. Il passait beaucoup de temps sur le tapis à picots et pratiquait l'exercice d'accroupissement maximum. 70 % de ses douleurs et symptômes ont disparu au cours de cette première semaine.

L'auteur voulait simplement essayer la marche sur la pointe des pieds et la faire aussi régulièrement que possible. Pas un mot n'existait, dans aucun livre, sur les effets positifs que la marche sur la pointe des pieds pouvait avoir sur les hemorroïdes. Il rit encore aujourd'hui de sa propre stupéfaction et de son étonnement lorsque ses hémorroïdes, qui le faisaient souffrir depuis des décennies, ont tout simplement disparu en l'espace de sept jours seulement.

Depuis lors, l'auteur a fait part de ses succès à plusieurs autres personnes ayant des problèmes similaires, qui ont, elles aussi, réussi à mettre fin à leurs problèmes d'hémorroïdes en peu de temps. Toutes ces personnes ont elles-mêmes fait l'expérience de l'importance de la première semaine pour la réussite personnelle.

"Non, la marche sur la pointe des pieds n'est pas pour moi !" ou "Je ne peux pas sans talons hauts !".

Voici deux phrases, mais d'autres similaires existent, venant de ceux qui entendent parler de la conversion à la marche sur la pointe des pieds ou de la marche pieds nus. Ces personnes ont raison. La marche sur la pointe des pieds et la marche pieds nus ne sont en effet pas pour eux, car avec ces simples phrases, ils ont déjà programmé leur cerveau contre. Les mots et les phrases sont très puissants et nous influencent constamment, qu'il s'agisse de nos propres phrases, de celles de notre famille ou de nos amis, ou de celles de la télévision, de la radio et de l'internet.

Tout le monde connaît les bonnes résolutions comme "Pour la nouvelle année, je mange moins de fast-food !" ou "Pour le nouvel an, j'arrête de fumer !" et beaucoup font l'expérience annuelle de la durée réelle de ces résolutions. Mais il est intéressant de constater que ces bonnes résolutions durent un certain temps et qu'au moins, on a tenté de les mettre en oeuvre.

La raison en est simple: "les bonnes intentions" ont été formulées de manière positive et souvent réfléchie. Les mots et les phrases affectent les gens tout comme la programmation. Celle-ci a le même effet que ce qui a été prononcé, c'est-à-dire positif ou négatif. Nous connaissons des effets semblables dans la publicité, car cette technique est également utilisée.

Mais vous pouvez également vous programmer par le biais de ce que l'on appelle des affirmations, c'est-à-dire des formulations qui sont positives et visent à atteindre quelque chose.

Pour maximiser le succès de la transition vers la marche sur la pointe des pieds et être également capable de marcher pieds nus, vous devriez prononcer certaines affirmations, à haute voix, tous les jours.

Voici une sélection d'affirmations positives:

✓ Je ne marche plus que sur la pointe des pieds à partir de maintenant !
✓ A partir de maintenant, je prends appui sur la partie antérieure de la plante des pieds quand je marche !
✓ La démarche sur la pointe des pieds est la démarche biologiquement correcte du point de vue de l'évolution !
✓ Je retourne à mes racines avec la marche sur la pointe des pieds !
✓ La marche sur la partie antérieure de la plante du pied va guérir mes hémorroïdes !

Vous pouvez vous réciter ces phrases à vous-même encore et encore. Le matin ou à un autre moment. Il est important que vous le fassiez chaque jour et que vous y croyiez, alors vous y arriverez. Ces affirmations fonctionnent pour tous les autres aspects de la vie, par exemple l'école, les études, le travail ou le partenariat.

Qui ne connaît pas les nombreuses poupées différentes de son enfance ou de ses propres enfants ou petits-enfants, que l'on peut changer avec de jolis vêtements ou même coiffer. Qui ne se souvient pas des pieds de ces poupées. Ils avaient une forme très différente de celle des pieds humains. C'est parce qu'ils ont été et sont toujours façonnées de manière à pouvoir porter des chaussures à talons hauts. Ainsi, même les jeunes enfants apprennent que les talons hauts font partie de la vie et sont la chose la plus naturelle au monde. Il s'agit également d'une programmation du cerveau.

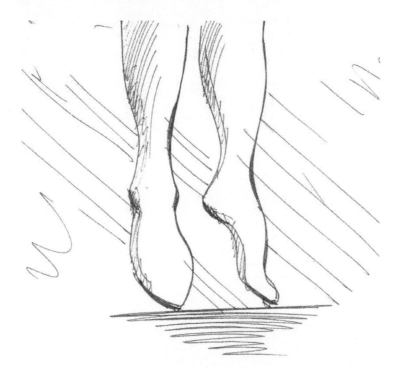

Dans l'illustration précédente, ce pied est représenté. Bien sûr, on pourrait argumenter que le pied doit être formé ainsi pour que les poupées puissent porter des talons hauts, mais il n'en reste pas moins que la programmation se fait par ce biais.

L'idéal de beauté est ainsi clairement programmé, et la seule démarche possible pour ce type de chaussure, la démarche sur le talon, est définitivement enracinée.

Après être passées à la marche sur la pointe des pieds de nombreuses personnes peuvent ressentir des douleurs matinales lorsqu'elles font à nouveau leurs premiers pas dans la marche sur la pointe des pieds. Les douleurs peuvent durer une trentaine de minutes. Ce n'est pas grave, mais c'est perceptible. Cependant, il existe aussi des personnes qui ne ressentent que peu ou pas de douleur.

Des décennies de marche sur le talon ont laissé des traces et des changements sur les pieds. Un changement soudain et constant de la marche sur la pointe des pieds, qui est la marche biologique primitive selon l'évolution conduit les pieds à retrouver leur séquence de mouvement innée. Pour cela, les pieds doivent d'abord passer par un certain processus de transformation, plus ou moins important. L'intensité de ce processus dépend de la durée et de l'intensité de la démarche sur le talon pratiquée auparavant. Les fascias, les muscles et les os doivent se réaligner légèrement et ce processus peut entraîner des douleurs matinales.

Ces douleurs peuvent être plus ou moins fortes et peuvent aussi durer plus ou moins longtemps. Normalement, cependant, elles ne devraient pas durer plus de quatre à huit semaines. Le Dr Peter Greb, qui dirige l'Institut de morphologie humaine appliquée, l'école de marche GODO, écrit dans son livre mentionné plus haut que ces douleurs peuvent être réduites en marchant sur place le matin.

Il est important de marcher de manière constante avec la marche sur la pointe des pieds, tous les matins, à nouveau en pleine conscience dès le premier pas. Cette affirmation consciente de la marche sur la pointe des pieds conduit à ce qu'elle soit exécutée inconsciemment à long terme, comme si l'on n'avait jamais marché différemment. Plus tard, le corps n'a plus l'idée de marcher autrement qu'avec la pointe du pied, et un contact occasionnel et involontaire du pied avec le talon fait que cette démarche est immédiatement perçue comme mauvaise et inadaptée.

L'auteur a pratiqué la marche sur le talon pendant plus de 40 ans. Après être passé à la marche sur la pointe des pieds en 2016, il a ressenti ces douleurs matinales pendant environ huit semaines. Elles n'étaient pas intenses, mais perceptibles, et disparaissaient environ une demi-heure après.

Au cours des dernières années, l'auteur a rencontré de nombreuses autres personnes qui sont également passées à la marche sur la pointe des pieds et qui avaient ces douleurs le matin. L'intensité de la douleur était différente, mais pour tous, elle disparaissait à nouveau après quelques temps, à condition que la marche sur la pointe des pieds soit maintenue à long terme et de manière constante.

Marcher pieds nus sur différentes surfaces

Les pieds possèdent un sens tactile étonnant. Il est raisonnable de supposer que le développement évolutif a transformé le pied humain d'un outil de préhension en un outil de marche. Cependant, le sens du toucher a été préservé dans le processus. Il est intéressant de noter que, par rapport à la peau des mains, celle de la plante des pieds est beaucoup plus sensible. Chez la plupart des gens, cette peau n'a guère pu se développer pendant toutes les années où le pied a été enfermé dans des chaussures étroites et rigides. Maintenant que les pieds sont enfin libres, il convient de faire à nouveau travailler les pieds et la peau de la plante des pieds.

Il est utile de marcher pieds nus autant que possible et de changer et varier la surface aussi souvent que possible. Il existe déjà un certain nombre de "sentiers pieds nus", publics et privés, qui ont été créés spécialement à cet effet. Vous pouvez les trouver facilement en effectuant une recherche sur Internet. Une visite en vaut la peine et représente une bénédiction pour les pieds. Vous devez non seulement marcher sur différents sols, mais aussi les explorer avec vos pieds.

Les débutants doivent prendre leur temps et ne marcher pieds nus que dans la mesure où cela leur convient.

L'auteur marche pieds nus aussi souvent que possible du printemps à l'automne. Il préfère les chemins de prairie et de forêt pour cela, et aime aussi traverser les ruisseaux sauvages et les petites rivières. Les pieds nus ne posent aucun problème.

En hiver, il porte des chaussures spéciales dont le nom anglais est " barefoot shoes " et dont la traduction française est " chaussures minimalistes " ou " chaussures pieds nus ". Pendant la saison froide, il ne marche pieds nus qu'à certaines occasions, et pendant quelques minutes, que ce soit dans la neige ou sur des prairies glacées.

Chaussures minimalistes

Les chaussures minimalistes ou "chaussures pieds nus" sont désormais disponibles sur Internet auprès d'innombrables fournisseurs, dans une variété de modèles. Malheureusement, elles n'ont pas encore trouvé leur place dans les magasins de chaussures ordinaires. Elles sont disponibles pour l'été, pour l'hiver ou pour certaines occasions. Les prix peuvent varier entre 100 et 200 euros.

Il est important que les chaussures soient légères, très confortables, sans support ni rembourrage et qu'elles soient aérées. La taille des chaussures est souvent légèrement supérieure à celle des chaussures "normales" avec talon surélevé. Cependant, il est important de s'assurer qu'elles laissent suffisamment de place à la plante du pied. La forme de la chaussure est généralement un peu plus large au niveau de la pointe du pied. Cependant, avant de les acheter, il faut attendre que les pieds se soient habitués à la marche sur la pointe des pieds et que la peau de la plante des pieds se soit déjà un peu renforcée.

L'auteur porte des chaussures minimalistes ou "chaussures pieds nus" depuis 2016. Il n'en possède qu'une paire noire pour l'été et l'hiver. Ces chaussures sont si confortables qu'il ne veut pas en porter d'autres. Il porte également les chaussures minimalistes pour danser et peut danser toute la nuit avec elles sans avoir mal aux pieds.

La marche sur le talon et les impacts constants sur les articulations et le corps, entraînent à plus long terme des problèmes au niveau des pieds eux-mêmes. Les pieds sont souvent bloqués avec la marche sur le talon dans des chaussures trop serrées et les semelles orthopédiques placées à l'intérieur de la chaussure exacerbent ce blocage. Ces semelles ne font donc pas partie de la solution, mais du problème.

Les problèmes causés par les chaussures étaient déjà connus il y a plus de 2000 ans. L'anatomiste Petrus Camper, déjà cité, écrit dans son livre: "Sinon, comment les Grecs anciens ont-ils pu décrire avec autant de précision les maladies des pieds causées par les pires chaussures à semelles extrêmement renforcées? Il est frappant de constater que tout le monde n'a pas suivi l'exemple de Socrate, qui lui, allait pieds nus."

Après la transition vers la marche sur la pointe des pieds, la nécessité de porter des semelles intérieures disparaît dans de nombreux cas. Cela peut également faire disparaître les symptômes qui ont rendu nécessaire le port de semelles.

L'auteur lui-même a porté pendant des décennies des semelles de chaussures, qui ont été renouvelées et ajustées à plusieurs reprises. Depuis qu'il est passé systématiquement à la marche sur la pointe des pieds, il n'a plus eu besoin de porter de semelles.

Marcher sur la pointe des pieds passe inaperçu

De nombreuses personnes qui adoptent la marche sur la pointe des pieds ainsi que des chaussures minimalistes, ou "chaussures pieds nus" après avoir marché avec la marche sur les talons pendant des décennies ont peur d'être constamment abordées par des curieux. Les gens perçoivent subjectivement leur nouveau comportement de marche comme trop voyant. Cependant, l'expérience montre que personne ne peut faire la différence entre la marche sur le talon et la marche sur la pointe des pieds, en public. Personne ne remarque non plus le fait que quelqu'un porte des chaussures minimalistes. Tout le monde est tellement occupé par soi-même qu'on ne remarque pas de changement chez ses semblables, changement qui reste donc minime pour des personnes extérieures.

On peut parfois demander aux femmes pourquoi elles ne portent pas de talons hauts lors d'une occasion spéciale ou avec une tenue particulière, mais la marche sur la pointe des pieds elle-même (changement du schéma de marche) passe inaperçue.

Il est intéressant de constater que même les porteurs de chaussures minimalistes expérimentés et de longue date peuvent avoir des difficultés à identifier d'autres marcheurs portant des chaussures minimalistes. Il faut vraiment faire attention aux mouvements des autres personnes pour pouvoir percevoir cette différence.

Il est à noter que marcher avec des chaussures minimalistes produit un son différent de celui des chaussures à talon. Le pied et la chaussure touchent le sol différemment. L'abaissement ultérieur du talon peut provoquer un faible bruit lorsque la semelle touche le sol. Cela varie en fonction de la chaussure et résulte plus audible sur les surfaces dures, comme les routes. En revanche, cette modification du modèle sonore n'est pas perçue par les autres. Le marcheur sur la pointe des pieds, quant à lui, remarque ces sons dès le début, mais il s'y habitue après quelques jours.

L'auteur se promène en public avec des chaussures minimalistes en pratiquant la marche sur la pointe des pieds tous les jours depuis 2016 et il n'a jamais été questionné au sujet de ses chaussures, du bruit de la démarche ou de la marche sur la pointe des pieds.

Il en va autrement lorsque l'auteur est pieds nus, car il est alors régulièrement interrogé à ce sujet et doit s'expliquer. Presque jamais en été, mais d'autant plus souvent pendant la saison froide. Ici, cependant, ce n'est pas la démarche sur la pointe des pieds en soi qui attire l'attention, mais seulement le fait que l'auteur ne porte ni de chaussures ni de chaussette en automne ou en hiver, par exemple. "Vous pourriez attraper un rhume", est l'un des commentaires courants des personnes rencontrées. Mais ce rhume ne s'est pas manifesté jusqu'à présent.

Chaussures pour circonstances spéciales

Dans un chapitre précédent, il a déjà été mentionné que les personnes appartenant à des professions où le port de chaussures de sécurité ou de bottes militaires est obligatoire peuvent être sujettes à des symptômes tels que les hémorroïdes. Ces chaussures sont nécessaires et importantes en raison de réglementations légales ou pour sa propre sécurité.

Dans de nombreux cas, ces chaussures spéciales ne peuvent pas être simplement remplacées par des chaussures minimalistes. Cependant, elles peuvent encore être utilisées dans la marche sur la pointe des pieds. Elles sont rigides, mais peuvent être portées de manière à rendre possible la marche sur la pointe des pieds. Encore une fois, en tant qu'observateur extérieur, il faut regarder de très près pour voir la différence de démarche.

Avec la marche sur la pointe des pieds, il est nécessaire d'enlever les semelles intérieures et de s'assurer que la semelle extérieure est aussi plate que possible. Cela donne plus d'espace au pied et favorise ainsi la marche sur la pointe des pieds.

Pour travailler sur les chantiers de construction, l'auteur porte ses bottes de sécurité avec des semelles et des embouts en acier mais il continue de pratiquer la marche sur la pointe des pieds. Cela est possible en toute logique.

L'homme est né pour courir, mais pour courir en prenant appui sur la partie antérieure de la plante des pieds ; cela est particulièrement vrai pour la course d'endurance sur de longues distances. Christopher McDougall en parle dans son célèbre livre "Born to run", ("Né pour courir"), dans lequel il décrit une tribu d'indigènes mexicains qui peut courir sans problème 160 km d'affilée, pieds nus ou dans des sandales à semelles fines, à un rythme soutenu.

Le jogging et la course sur le terrain ne sont possibles que sur la pointe du pied. Les athlètes qui mettent le talon en premier lorsqu'ils font du jogging devraient essayer d'enlever leurs chaussures et essayer cette pratique pieds nus. Ils n'iraient probablement pas plus loin que quelques centaines de mètres et abandonneraient ensuite avec un visage déformé par la douleur. L'industrie moderne de la chaussure, en revanche, met au point des chaussures de course avec lesquelles la course de vitesse en prenant appui sur le talon n'est pas un problème, même si cela semble absolument contre nature.

La marche nordique, qui est devenue de plus en plus populaire après le tournant du millénaire, n'est possible qu'avec des chaussures de course bien rembourrées au niveau du talon. Il ne peut être qu'ironique que l'entraînement estival des skieurs de fond nordiques, dont les fixations de ski sont attachées à la pointe du pied et qui doivent donc pratiquer la marche sur la pointe des pieds, ait été pris comme éponyme pour un sport qui n'a absolument rien à voir avec la marche sur la pointe des pieds et qui peut encore exacerber les symptômes qui résultent de la marche sur le talon. Le seul aspect sain de la marche nordique est qu'elle doit être pratiquée à l'extérieur, à l'air frais.

Une bonne chose à faire, en revanche, est d'enlever ses chaussures et de pratiquer ce sport pieds nus ou en chaussures minimalistes en pratiquant la marche sur la pointe des pieds. Peter Greb appelle ce nouveau sport "Nordic GODO". Les bâtons de marche peuvent également être utilisés, comme le montre l'illustration ci-dessous. La longueur de la foulée est ainsi réduite et la pratique de la marche sur la pointe des pieds élimine les symptômes négatifs causés par la marche sur le talon.

En raison de la forte sollicitation des fascias du plancher pelvien pendant la grossesse et de l'effort extrême pendant l'accouchement, les femmes peuvent développer des hémorroïdes après l'accouchement.

Après avoir lu ce livre, on devrait comprendre pourquoi le stress pendant la grossesse est si fort. Mettez-vous à la place de l'enfant à naître, qui, lors des promenades ou autres circonstances, à chaque pas de la mère, ressent toujours une secousse accompagnée d'un bruit sourd. À partir du cinquième mois de grossesse, lorsque le sens de l'ouïe de l'enfant se développe, les bruits des impacts deviennent de plus en plus audibles. Comme l'enfant est positionné la tête en bas dans l'utérus, il est poussé vers le bas par la gravité à chaque pas de la mère et le plancher pelvien doit absorber ce choc et se crispe dans le processus.

En revanche, la charge exercée sur le plancher pelvien par l'enfant à naître chez une mère qui pratique la marche sur la pointe des pieds est bien moindre. Les secousses, ainsi que le bruit occasionné par elles, sont complètement éliminés, et le plancher pelvien n'a pas besoin de se contracter. L'accouchement qui en résulte devient beaucoup plus facile pour la mère et aussi pour l'enfant.

Le docteur Weston Price, médecin américain, a rendu visite aux Inuits du Canada dans les années 1930 et a décrit dans son célèbre ouvrage "Nutritions and Physical Degeneration" (Nutrition et Dégénérescence Physique) que la grossesse et l'accouchement peuvent entraîner des problèmes majeurs chez les femmes amérindiennes qui vivent comme l'Américain moyen, et que ces femmes doivent souvent rester à l'hôpital avant et après l'accouchement, parfois en proie à de grandes douleurs. En revanche, les grands-mères de ces femmes, qui vivaient selon les rites amérindiens originaux, mangeaient des aliments crus et non transformés et ne portaient que des chaussures plates ou bien marchaient pieds nus, en conséquence elles n'avaient aucun problème pendant la grossesse et l'accouchement. Elles se rendaient dans la nature pour accoucher, seules ou accompagnées d'une autre femme, avec seulement une couverture, et là, elles donnaient naissance. Suite à cela, elles retournaient dans la tribu avec leur enfant, tous deux en bonne santé.

On peut supposer que les femmes amérindiennes du XIXème siècle décrites précédemment ne souffraient pas d'hémorroïdes post-partum ou autres, mais cette information n'a pas survécu.

L'auteur connaît une femme aux États-Unis qui est passée à la marche sur la pointe des pieds entre deux accouchements. Lors du premier accouchement, elle a dû passer les trois derniers mois de sa grossesse en position allongée car il y avait un risque que le bébé naisse prématurément. Elle a raconté que la deuxième grossesse avait été nettement plus facile et qu'elle n'avait pas eu besoin de s'allonger avant l'accouchement.

Par ailleurs, le deuxième accouchement s'est déroulé de manière significativement plus aisée : il a été plus court et associé à moins de douleur que le premier.

Position naturelle pour aller à la selle

Quelle est la position naturelle de la défécation humaine? C'est le "deep squat" ou "accroupissement maximum". Ce n'est que dans cette position accroupie, avec le poids sur les pieds, que les intestins sont droits et peuvent se vider complètement sans pression.

Dans de nombreux pays du monde, qui ne sont pas aussi "avancés" que les pays industrialisés, l'accroupissement est encore la position normale pour "faire ses affaires". Dans ces pays, les problèmes dûs à la position assise, comme la constipation, sont peu connus. Lorsque le poids n'est pas sur les pieds, mais que vous êtes assis sur les toilettes, le rectum a la forme d'un "L" et vous devez exercer une pression pour vider les intestins. Le mot allemand "Stuhl" (chaise) pour les excréments indique que les gens en Europe sont assis comme s'ils le seraient sur une chaise depuis très longtemps. Même les Romains faisaient déjà leurs affaires sur des "chaises" dans les bains publics.

Il existe des élévations spéciales des pieds pour se rapprocher au moins de l'accroupissement et celles-ci apportent une certaine amélioration, bien que le poids ne repose toujours pas sur les pieds.

Si l'on a des douleurs ou des problèmes pour aller à la selle, changer de position peut apporter l'aide souhaitée. Toutefois, ce changement pose des problèmes aux habitants des pays industrialisés, car les toilettes "normales", en position assise comme sur une chaise, sont installées par défaut dans toutes les maisons et salles de bains.

Dans ce cas, il est conseillé d'utiliser un lève-pieds suffisamment stable pour supporter tout le poids de la personne lorsqu'elle adopte la position accroupie au-dessus de la cuvette des toilettes. L'illustration ci-dessus montre un siège d'appoint stable, disponible dans le commerce, qui peut être utilisé pour changer de position.

Dès la deuxième semaine, on s'entraîne à la pratique de l'accroupissement pour resserrer le tissu conjonctif.

L'auteur a vécu pendant de nombreuses années dans différents pays d'Afrique et c'est là qu'il a connu les avantages de l'accroupissement maximum. Les douleurs pendant la défécation pouvaient être soulagées et la vidange des intestins était possible sans pression.

Amusé, l'auteur entrait souvent dans les toilettes occidentales et trouvait des empreintes de chaussures sur la lunette des toilettes. Les habitants du pays ne pouvaient apparemment pas s'accommoder à la culture des toilettes des "Européens".

Maigrir facilite la marche sur la pointe des pieds

Plus les gens sont légers, plus ils portent leurs pieds avec légèreté. Du point de vue de l'évolution, les humains ont probablement été plutôt minces pendant la plus grande partie de leur histoire évolutive. Au cours des premiers millénaires, l'approvisionnement limité en nourriture suffisait à assurer cette fonction.

La réduction du poids peut avoir un effet positif sur l'entraînement pour la marche sur la pointe des pieds, si l'on estime que cela est nécessaire. Il existe une grande variété de techniques pour cela.

L'auteur souhaite ici faire référence à son premier livre "Méthode d'Épuration des Mucosités". Le fait est que la plupart des personnes sont chroniquement encombrées de mucosités et cette situation a été aggravée par la pandémie occasionnée par le virus du Corona.

Ces mucosités sont responsables d'une variété de problèmes chroniques dans le corps et si l'on parvient à les éliminer, un bien-être se fait automatiquement ressentir.

Ces mucosités ont un poids et un volume, ainsi, leur expulsion du corps, accompagnée d'autres toxines diverses, nous aide à retrouver légèreté et vitalité.

Vous trouverez de plus amples informations sur la "Méthode d'Épuration des Mucosités" dans les dernières pages de ce présent ouvrage.

La terre est chargée négativement et possède une quantité infinie d'électrons. En particulier à l'époque de la numérisation, le corps absorbe beaucoup de particules chargées positivement via les smartphones, les tablettes ou d'autres appareils électroniques, qui sont absorbées par le corps et forment ce qu'on appelle des radicaux libres qui peuvent entraîner des inflammations et d'autres problèmes.

Tous les gros appareils électriques sont reliés à une prise de courant, sans quoi ils cesseraient de fonctionner. L'être humain qui naît sans chaussures peut également être considéré comme une sorte d'"appareil électrique", puisque toute une série de processus dans le corps se déroulent par le biais d'impulsions électriques. Un bon contact avec la terre permet au corps d'effectuer l'égalisation du potentiel électrique, d'absorber les électrons et de contrer ainsi la formation de radicaux libres dans le corps.

Cette égalisation de potentiel fonctionne lorsque l'on marche pieds nus, par exemple, car cela permet d'équilibrer les charges positives et négatives entre la terre et le corps humain (par l'intermédiare d'ondes électrostatiques). De la même manière, cette égalisation est rendue possible lorsque l'on se baigne dans des eaux naturelles ou dans la mer, car la conductivité électrique de l'eau est très élevée, de plus, l'eau entoure complètement le corps.

De nombreuses personnes s'extasient littéralement devant les "vacances à la mer" mais ils ne prennent pas vraiment conscience qu'outre les bienfaits de la brise de mer, c'est aussi le contact de leurs pieds nus foulant le sable ou de leur corps plongé dans l'eau salée qui explique leur bien-être.

L'auteur essaie de garder autant que possible le contact avec la terre. Lui, ainsi que ses enfants, dorment dans des "draps Earthing", c'est-à-dire des "draps de connexion à la Terre".

Le "Earthing" est traduit en français par "Reconnexion vitale à la Terre". Ces draps permettent donc au corps de rester connecté à la terre pendant le sommeil.
Cela est rendu possible grâce à un raccord sur le côté du drap sur lequel est fixé un cable le reliant à la terre.

Cela assure aux enfants de l'auteur un sommeil profond et réparateur. Auparavant, ils avaient toujours été agités dans leur sommeil, mais maintenant ils dorment profondément et ne bougent que très peu dans leur lit. Les expériences positives qui y sont associées pourraient remplir un livre à elles seules.

La principale cause des hémorroïdes est la marche sur le talon, mais la faiblesse du tissu conjonctif est considérée comme une autre cause secondaire.

Après le passage à la marche sur la pointe des pieds, la cause principale est éliminée, mais le tissu conjonctif, et le plancher pelvien qui en fait partie, sont encore plus faibles que chez les autres personnes et peuvent être sollicités par des pratiques incorrectes.

L'une de ces origines est la mauvaise position lors de la défécation, ce qui a déjà été décrit dans un chapitre précédent.

Le fait de soulever des charges lourdes, que ce soit au travail, à la maison ou en pratiquant un sport, peut également exercer une pression excessive sur le plancher pelvien.

Sur les deux illustrations, deux exercices de musculation qu'il faut éviter à tout prix, sont présentés à titre d'exemples.

Ces exercices, ainsi que d'autres, sollicitent fortement le plancher pelvien et peuvent favoriser la formation d'hémorroïdes, malgré une marche sur la pointe des pieds pratiquée de manière constante et quotidienne.

La position assise pendant de longues périodes, au travail ou à la maison, exerce également une pression sur le plancher pelvien. Cette situation peut entraîner des symptômes tels que des douleurs dorsales par exemple. Ici, l'exercice de l'accroupissement peut être pratiqué occasionnellement en compensation.

L'auteur, lors d'entraînements à la musculation, a lui-même fait l'expérience que les exercices montrés ci-dessus provoquent le retour des hémorroïdes, et cela en dépit de la pratique constante de la marche sur la pointe des pieds. En revanche, lorsqu'il cesse de pratiquer ces exercices-là, les hemorroïdes disparaissent à nouveau.

AUTRES AMÉLIORATIONS PHYSIQUES

La conversion à la marche sur la pointe des pieds ne garantit pas seulement la disparition des hémorroïdes, mais permet également d'améliorer un certain nombre d'autres symptômes. Peter Greb en donne un certain nombre d'exemples dans son livre : On dit que cela soulage l'arthrite et les troubles veineux. Les dommages aux disques intervertébraux peuvent être évités et les mauvaises positions des pieds peuvent être régulées. Le mouvement, la respiration et la circulation sont harmonisés, ce qui a un effet positif sur la sexualité.

Une autre amélioration positive qui peut être apportée par la marche sur la pointe des pieds combinée à la marche pieds nus est une amélioration de la vision chez les personnes qui portent des lunettes.

Chaque organe du corps humain est relié à la peau de la plante des pieds par les fascias, via des voies nerveuses. L'illustration ci-dessous montre la zone des pieds qui est reliée aux yeux. Cette zone particulière est plutôt petite sur les deux pieds. Dans la marche inadaptée qui prend appui sur le talon, la zone indiquée ne touche le sol que brièvement lorsque le pied quitte le sol, si les pieds ne sont pas coincés dans des chaussures serrées. Dans la marche sur la pointe des pieds, en revanche, ces zones du pied restent connectées au sol tout le temps, depuis le moment où le pied commence à toucher le sol jusqu'à ce qu'il le quitte, et ainsi, ces zones peuvent être stimulées au maximum. Seule la marche pieds nus peut intensifier cette stimulation optimale à long terme.

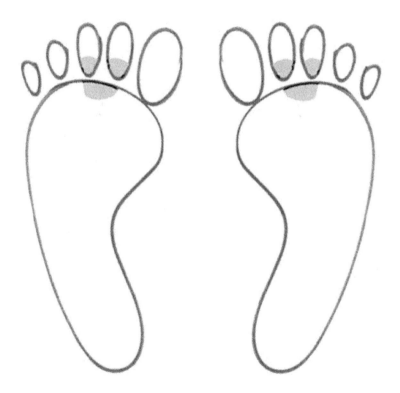

L'expérience a montré que l'hypermétropie peut être complètement ou partiellement corrigée en passant à la marche sur la pointe des pieds. La myopie, cependant, ne peut être améliorée de manière significative que par une marche pieds nus soutenue. Une amélioration de deux dioptries est tout à fait possible ici. Une courbure de la cornée, en revanche, peut difficilement être corrigée.

Le Dr Westin Price, médecin américain précité, a étudié les aborigènes australiens dans les années 1920. Il a écrit à propos de ces aborigènes, qui se nourrissaient d'aliments naturels et non transformés et ne marchaient que pieds nus dans la brousse, qu'ils avaient une vue remarquable. Ils pouvaient percevoir les mouvements des animaux jusqu'à 1600 mètres de distance. Par ailleurs, ils pouvaient voir à l'œil nu les plus petites étoiles et constellations la nuit. Même les lunes de Jupiter étaient visibles pour eux. Les personnes des pays développés ont besoin de l'aide de bons télescopes pour cela. La chasse aux animaux pendant la nuit leur était si facile qu'on supposait qu'ils possédaient un sixième sens.

L'auteur a constaté qu'outre la disparition de ses hémorroïdes, sa presbytie s'est considérablement améliorée. Il portait des lunettes depuis l'âge de 18 ans, lorsqu'il a commencé sa formation sur les chantiers de construction. Après le passage à la marche sur la pointe des pieds, sa myopie s'est améliorée mais son astigmatisme a persisté.

Au bout du compte, à la suite de ce changement de mode de vie, sa vision s'est améliorée au point qu'il n'a plus eu besoin de lunettes, sauf lorsqu'il travaille sur l'ordinateur pendant de longues périodes ou lorsqu'il conduit la nuit.

Par ailleurs, le flux sanguin vers ses pieds a augmenté, ce qui a provoqué un réchauffement qui le rend désormais moins sensible au froid.

CE QUI SE PASSE ENSUITE

Quatre semaines ont passé, pleines d'expériences sur la marche sur la pointe des pieds et le renforcement du fascia. Que se passe-t-il ensuite ?

Dans le cas des hémorroïdes, une grande partie des symptômes qui persistaient depuis longtemps devraient maintenant avoir disparu. Une guérison complète n'est pas possible, car de nombreux malades ont encore un tissu conjonctif faible, mais celui-ci est désormais renforcé par le passage à la marche sur la pointe des pieds.

La cause des hémorroïdes est la marche sur le talon et la solution est la marche sur la pointe des pieds. Que cette nouvelle marche soit pratiquée pieds nus, dans des chaussures très plates ou dans des chaussures minimalistes est sans importance pour l'élimination des symptômes des hémorroïdes.

Seule la position cohérente du pied sur la pointe élimine la symptomatologie. Il est conseillé de continuer à marcher pieds nus, mais cela reste la décision du lecteur.

Le passage de la marche sur le talon à la marche sur la pointe des pieds, laquelle part d'une évolution biologique naturelle, peut remédier aux problèmes qui sont apparus au cours de nombreuses années et décennies chez les personnes concernées, de manière durable et permanente, tant que la marche sur la pointe des pieds est maintenue. Une rechute à moyen terme dans la marche sur le talon peut faire revenir les vieux symptômes de santé et les douleurs familières.

Comme nous l'avons déjà écrit dans le chapitre sur la perte de poids, la combinaison de la marche sur la pointe des pieds et de l'absence de mucosités est un état de santé tout à fait souhaitable. Les personnes qui ont expérimenté par elles-mêmes les changements positifs après le passage à la marche sur la pointe des pieds, apprécieront également les changements positifs additionnels qui découlent de l'absence de mucosités.

L'auteur souhaite profiter de cette occasion pour promouvoir à nouveau son livre "Méthode d'Épuration des Mucosités". Cette méthode, simple et peu coûteuse, permet d'éliminer une quantité considérable de mucosités et d'autres toxines diverses de l'organisme. Cela peut être la solution à toute une série de problèmes de santé chroniques.

Les personnes qui, après avoir lu ce livre, sont stupéfaites de la disparition rapide et permanente de leurs douleurs et symptômes de longue date, seront vraiment étonnées de l'amélioration de leur santé suite à l'élimination des mucosités de l'organisme. Les mucosités et notamment les mucosités épaisses, sont à l'origine de toute une série de maladies chroniques (y compris les maladies auto-immunes), même si peu de gens en sont conscients.

Après l'expulsion des mucosités, de nombreuses personnes ont l'impression qu'un voile sombre a été levé et qu'elles peuvent enfin penser et voir clairement après de longues années.

Pendant de nombreuses années, l'auteur n'a plus eu de mucosités et il a aussi adopté la marche sur la pointe des pieds. Avant cela, il se rendait régulièrement chez le médecin pour diverses affections et maladies chroniques. Depuis lors, il a très rarement vu l'intérieur d'un cabinet médical et se sent en aussi bonne santé que s'il était à nouveau un enfant.

L'auteur souhaite à tous qu'ils puissent également en faire l'expérience et ressentir les avantages de ne pas avoir de mucosités et d'équilibrer leur corps, leur esprit et leur âme.

POSTFACE DE L'AUTEUR

Le progrès, c'est toujours aller de l'avant. L'humanité développe des technologies de plus en plus innovantes et cela continuera ainsi.

Les être humains vivent de plus en plus longtemps, mais malgré cette évolution, ils sont de plus en plus malades. Les hôpitaux sont remplis de patients et c'est un problème bien réel.

Il ne faut cependant pas oublier que l'homme lui-même est physiquement, à l'origine, un chasseur-cueilleur. Nous avons encore, pour l'essentiel, l'anatomie de ces hommes d'antan.

En tant qu'ingénieur, l'auteur ne se concentre pas sur les problèmes, mais principalement, il cherche à les résoudre. La solution à une multitude d'affections et de problèmes physiques chez l'homme moderne doit donc nécessairement résider dans le mode de vie des anciens chasseurs-cueilleurs.

Cette comparaison avec les premiers hommes et le retour aux racines qu'elle préconise, peuvent contribuer à améliorer la santé et le bien-être des personnes sur le long terme.

La vision proposée par l'auteur est une symbiose du chasseur-cueilleur avec l'homme moderne. Cette fusion n'est pas utopique, au contraire, c'est une possibilité qui devient réalité puisqu'il en vérifie l'hypothèse.

L'auteur est convaincu que cette symbiose pourrait élever l'humanité à un niveau de développement supérieur, ouvrant ainsi des voies encore inexplorées pour les avancées relatives au corps, à l'esprit et à l'âme.

L'AUTEUR

Marco Alexander (né en 1975) est originaire de Bad Neustadt, dans le nord de la Bavière, au centre de l'Allemagne. Pendant et après sa formation et ses études d'ingénieur, il a vécu et travaillé à l'étranger pendant plus de dix ans. Entre autres aux États-Unis, en Afrique et au Moyen-Orient.

Après un burn-out et les séquelles graves sur sa santé qui ont suivi, il a essayé pendant des années, mais en vain, différentes thérapeutiques, a consulté de prétendus grands spécialistes médicaux et a payé bien cher pour tout cela.

Finalement, il a retrouvé la santé grâce au jeûne, à la consommation d'aliments crus sans amidon et à la marche sur la pointe des pieds.

Il a ainsi pris conscience que ses problèmes étaient dûs, d'une part à une mauvaise alimentation qui entraînait une obstruction chronique du corps par les mucosités et d'autre part à une mauvaise façon de marcher.

Une fois guéri, se sentant léger, plein d'entrain et régénéré, suite au passage de la marche sur le talon à la marche sur la pointe des pieds, il s'est demandé comment il pourrait désormais aider ses semblables à retrouver la santé.

Ce livre est le résultat de ce désir. Pour des coûts peu élevés, les bienfaits retirés pour la santé sont considérables.

Méthode d'Épuration des Mucosités

Le nettoyage du corps suite à la pandémie et à la vaccination qui s'ensuivit.

Tout le monde a vu ces scènes de personnes touchées par le virus du Covid-19, en réanimation, en train d'être ventilées et dont les soignants tentaient d'aspirer les mucosités qui les encombraient.

En 1909, un professeur allemand a mis au point une technique permettant de débarrasser efficacement le corps de ces mucosités (ou excés de mucus). Malheureusement, elle est restée longtemps peu connue.

Aujourd'hui, un ingénieur allemand a récemment transformé cette technique plus que centenaire en une méthode que tout le monde peut utiliser pour débarrasser le corps de ses mucosités et de ses toxines diverses, en l'espace de quatre semaines seulement !

C'est cette méthode et d'autres encore que nous présentons dans ce livre qui a pour seul objectif de nous faire recouvrer un bien-être total et une santé sans faille.

ISBN Imprimé : 9782322378296

Pour les questions et les suggestions

info@forefoot4life.de

Deux artistes travaillent ensemble sous l'égide de la "Remchen Classical Art Academy" à Bad Neustadt. Christian Remchen et Lara Ebert se connaissaient déjà depuis mars 2020, lui en tant que professeur d'art et elle en tant qu'étudiante. Lorsque la planète entière s'est arrêtée pendant la pandémie causée par le virus du Corona, tous deux ont commencé à travailler de manière productive à l'Académie d'Art. Pour les deux artistes, la vie a continué avec l'art. Pendant cette période, ils ont coopéré pour créer de nouvelles œuvres en utilisant l'huile, l'aquarelle, le crayon et des œuvres numériques. De plus, ils ont réalisé ensemble de nombreux projets tels que des illustrations de livres, des peintures d'objets divers, des commandes de portraits et d'images.

Christian Remchen est le fondateur de la nouvelle méthode d'apprentissage de la peinture, propriétaire de la Remchen Art Academy à Bad Neustadt, architecte de formation (Nursultan, Kazakhstan), professeur d'art traditionnel, sculpteur, auteur de livres, développeur avec brevet et conférencier.

Lara Ebert fait partie de l'Académie d'art classique Remchen à Bad Neustadt, en Allemagne, depuis octobre 2019, où elle réalise des projets collaboratifs à multiples facettes et des commandes spéciales dans le cadre du duo d'artistes. Depuis septembre 2020, elle étudie la conception de produits techniques complémentaires à l'école professionnelle publique de Selb, en Allemagne.

Christian Remchen et Lara Ebert travaillent ensemble en tant que duo d'artistes depuis avril 2021.

Instagram :
@kunstakademieremchen
@lara_craftart

Facebook :
Lara Ebert
Christian Remchen

YouTube:
Christian Remchen

Klassische Kunstakademie Remchen
Roßmarkt Str. 11
97616 Bad Neustadt, Allemagne
figurenbau@gmail.com

BIBLIOGRAPHIE

Arend Stefanie, Vital und gesund durch Faszienmassage, Vitalité et santé grâce au massage du fascia, 2020, Schirner Verlag.

Camper Petrus, Treatise on the best form of shoes (Traité sur les meilleures formes de chaussures), (allemand), 1783, Google Books.

Greb Peter, MD, GODO Mit dem Herzen gehen – Der Gang des neuen Menschen, (Marcher avec le coeur - La marche de l'Homme Nouveau), 2000, Maison d'édition KOHA.

McDougall Christopher, Born to run (Né pour courir), 2010, Profile Books Ltd, Londres, Royaume-Uni.

Stark Carsten, Füße gut, alles gut (Bons pieds, belle vie), 2015, Südwest Verlag, Munich, Allemagne.

Weston Price, Dr., Nutrition and Physical Degeneration, A comparison of primitive and modern diets and their effects, (Nutrition et dégénérescence physique, Une comparaison des régimes primitifs et modernes et leurs effets), 2010, Benediction Classics, Oxford, USA.